Colle brillante amusante

Les petits tubes de colle brillante... ajoutent des étincelles à ton monde!

Cette édition publiée en 2012
par SpiceBox™
12171 Horseshoe Way,
Richmond, BC,
Canada V7A 4V4

Première édition en 2007
Copyright ©2007 pour le texte et les illustrations
SpiceBox™, Canada

ISBN 10: 1-894722-67-1
ISBN 13: 978-1-894722-67-4

PDG et éditeur: Ben Lotfi
Direction éditoriale: Trisha Pope
Directeur de création: Garett Chan
Directrice artistique: Christine Covert
Concepteur: Morgen Price
Production: Garett Chan
Sourcing: Janny Lam
Photographe: James Badger

Pour les produits SpiceBox plus d'informations, visitez notre site Web:
www.spicebox.ca

Fabriqué en Chine
10 12 14 15 13 11

Table des matières

Introduction

Sois prêt! Installe-toi! Sois prêt à briller! Il n'y a rien qu'un peu de brillant ne peut pas rendre merveilleux. Bon, peut-être que mettre du brillant dans un sandwich à la gelée n'est pas vraiment une bonne idée, mais à part ça, ça peut marcher sur tout le reste !

MATH

6

$\mathcal{C}$et ensemble intéressant va t'inspirer pour mettre un peu de scintillement dans ta vie. La colle brillante est facile à utiliser; quel que soit le projet, y ajouter du brillant va rendre l'objet merveilleux. Ce livre contient des tonnes d'idées créatives pour utiliser ta colle scintillante. Beaucoup de ces idées sont des projets sur papier, mais la colle scintillante marche bien aussi sur la mousse, le tissu ou le verre. Inspire-toi de ces idées pour créer tes propres projets et t'amuser brillamment.

Les poins à ne pas oublier:

La colle brillante est à base d'eau, ce qui veut dire que si tu mets de l'eau sur ton projet, la colle commencera à se dissoudre. Alors ne l'utilise pas sur des vêtements ou du verre qu'il faudra laver!

Autre chose à ne pas oublier : tu ne veux pas utiliser la colle sur quelque chose qui peut contenir de la nourriture. La colle n'est pas bonne à manger, et tu ne veux pas que de la nourriture la touche.

La plupart des projets de ce livre sont faits avec des objets que l'on trouve dans la maison, parce que c'est drôle de rendre l'ennuyeux, amusant et neuf! Mais il ne faut pas oublier de demander à tes parents, si tu peux par exemple prendre le vase sur la petite table, il est possible qu'ils l'aiment comme il est. Demande la permission avant de mettre de la colle sur des objets de la maison.

Enfin, comme pour toutes les autres colles, celle-ci est gluante et peut faire des dégâts. Alors, porte de vieux vêtements quand tu travailles avec cette colle, au cas où tu t'en mettrais dessus et garde un linge humide à côté de toi pour te nettoyer les doigts si nécessaire.

Maintenant,
te voilà prête à t'amuser,

et à briller!

La colle brillante et le papier vont merveilleusement bien ensemble!

Fais preuve d'imagination et utilise la colle pour faire de beaux projets scintillants sur papier, les possibilités sont infinies.

Sur les prochaines pages, nous t'en montrons quelques-unes pour démarrer.

To: Lisa
From: Betty

10

Papier d'emballage

Ajoute de l'intérêt à un papier d'emballage ordinaire en mettant en lumière les dessins avec la colle. Tu peux faire une étiquette correspondante en coupant un petit morceau de dessin et en le collant sur du papier kraft. Perce un trou en haut, ajoute du brillant et un message, et le tour est joué avec style!

Tu peux faire ton propre papier d'emballage en ajoutant des dessins brillants sur du papier uni ou du papier journal. Vois combien c'est facile de rendre un cadeau spécial grâce à la colle?

N'oublies pas d'en mettre aussi sur le nœud!

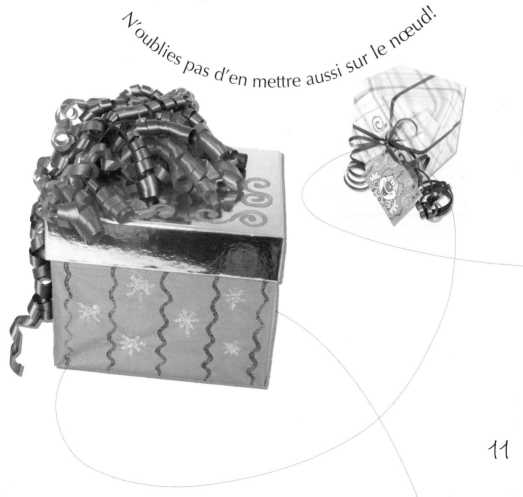

Cartes de vœux extraordinaires et papiers étincelants

Les cartes de vœux faites à la main sont très populaires car elles montrent à qui les reçoit que tu as fait un effort supplémentaire, juste pour eux!

Tu peux faire des cartes avec du papier-cadeau ou du papier kraft ou même des morceaux de papier peints ! Regarde autour de toi pour voir quel genre de papier tu peux utiliser. Ajoute des autocollants, des rubans ou d'autres illustrations pour les embellir encore plus.

Truc : Utilise du papier plus épais pour de meilleurs résultats. Du papier fin se gondole toujours un peu quand la colle sèche.

14

À gauche, il y a encore plus d'idées pour des cartes brillantes en utilisant toutes sortes de garnitures artisanales. La carte «meilleure amie» est facile à faire en utilisant du croquet dans la boîte à couture de ta maman. Colle-le sur la carte et garnis-le avec de la colle dans une couleur contrastante.

La carte rose ainsi que la carte blanc et argent sont garnies avec du tissu, du ruban, de jolis cœurs et des tourbillons en brillant – très élégante !

Le noir est une bonne couleur de fond pour le brillant, fais des essais avec diverses couleurs de papier et de colle pour voir quelle est la combinaison que tu préfères.

La colle brillante ajoute une touche merveilleuse au papier et aux enveloppes. Tes copines vont adorer recevoir des notes de toi sur ces merveilleux papiers. Utilise ta colle pour faire des bordures de fantaisie, créer un monogramme avec tes initiales et même souligner des mots dans tes notes. Qui n'aimerait pas recevoir une lettre de toi sur ce merveilleux papier?

Ajoute du brillant et du scintillement à tes invitations — tes amies adoreront!

15

Cadres de fantaisie

Ton ensemble brillant contient des cadres photos que tu peux utiliser dans ta chambre, pour ton casier ou pour offrir à tes amies.

Utilise les marqueurs et les colles scintillantes pour créer des cadres colorés et uniques pour encadrer tes photos favorites. Quand tu auras utilisé tous les cadres de ce kit, tu pourras aller en chercher d'autres dans un magasin à un dollar. Ce sont des endroits super pour trouver des cadres tout simples et pas chers que tu peux ensuite décorer. Cette année, pourquoi ne pas créer un cadeau spécial pour tes grands-parents en leur envoyant ta photo d'école dans un cadre que tu auras décoré toi-même ?

Truc: Le brillant est particulièrement joli sur ces cartes, des affiches, des cadres ou des autocollants en velours noir et nous en avons inclus dans ton ensemble pour que tu essaies! Utilise d'abord les marqueurs sur le dessin puis passe dessus de nouveau avec la colle brillante pour en faire une création unique qui attirera le regard.

17

Illumine ta chambre!

Fais-en un royaume rien qu'à toi avec des plaques qui couvrent les interrupteurs. Demandes à un adulte de t'aider à enlever la plaque en plastique du mur. Peins-la avec une couche de peinture artisanale, et laisse sécher avant d'utiliser la colle (vois la note ci-dessous à propos des surfaces de plastique). Ensuite, tu décores la plaque avec d'autres décorations scintillantes. Demande à un adulte de visser la plaque en place une fois qu'elle est sèche. Et voilà une plaque d'interrupteur avec un magnifique nouvel aspect!

Truc: Nous avons vu que la colle n'adhère pas aussi bien sur une surface lisse ou brillante quand elle est sèche. Si ton cadre ou tout autre objet que tu veux décorer avec la colle est fait de plastique, teste la colle dessus avant de faire ton dessin. Si la colle n'adhère pas une fois sèche, tu peux essayer de peindre d'abord avec une peinture artisanale, puis de mettre la colle.

Translucide et opaque

Certaines colles sèchent opaques et d'autres translucides. Quelque chose est opaque quand on ne peut pas voir au travers, et translucide dans le cas contraire, autrement dit, si tu peux voir le papier une fois que la colle a séché dessus. Pourquoi ne pas essayer ta colle et voir laquelle est translucide et laquelle est opaque ?

Quand tu utilises des colles translucides, tu peux voir la couleur du papier ou du matériau de base sur lequel tu as mis la colle. C'est quelque chose à prendre en considération pour chaque projet pour lequel tu les utilises si tu ne veux pas que la couleur de fond se voit, auquel cas, il te faudra choisir de la colle opaque, ou colorier d'abord le dessin avec de la peinture ou des marqueurs. Si tu veux que la couleur de fond se voit, alors choisis une colle qui, en séchant, devient translucide.

20

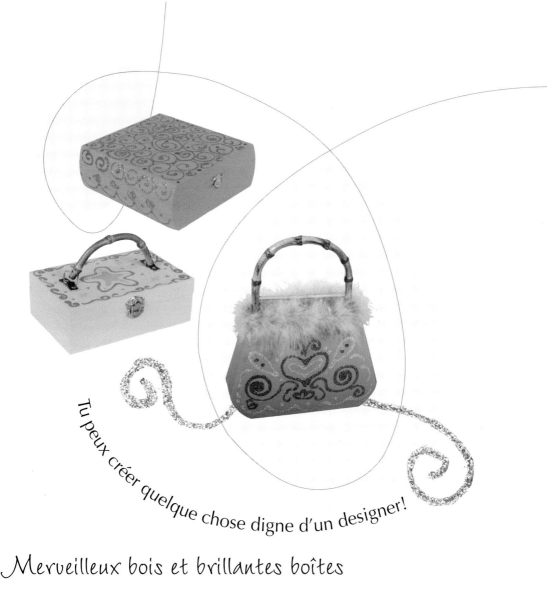

Tu peux créer quelque chose digne d'un designer!

Merveilleux bois et brillantes boîtes

Le magasin à un dollar près de chez toi ou la boutique d'artisanat sont normalement d'excellents endroits pour trouver des articles en bois pas chers, mais qui sont amusants à décorer. Voici quelques mignonnes boîtes qui n'ont coûté, chacune, que quelques dollars. Une fois décorées, on dirait qu'elles viennent d'une boutique de décoration.

Prenons la colle, et commençons à décorer!

Des lunettes brillantes

Des lunettes de soleil scintillantes font de ce cochon-tirelire une vraie star de cinéma, mais nous ne recommandons pas d'en faire autant sur tes lunettes de soleil! Cependant, regarde autour de toi dans la maison ou dans des ventes de garage les fins de semaine pour trouver des trésors faits de verre à décorer. Des coffrets à colifichets, des vases, des porte-bougies, des petits plats ou assiettes, les idées ne manquent pas! Mais rappelle-toi que tu ne peux pas utiliser ces objets en verre une fois décorés, pour manger ou boire et qu'il ne faut pas les mettre dans le lave-vaisselle. Ils sont là pour décorer, c'est tout.

Name
Nom

Class
Classe

Subject
Sujet

MI

24

Embellis tes livres

C'est l'école et il est temps de prendre des notes, mais ne fais pas cela sur des cahiers sans intérêt et ennuyeux. Fais briller de créativité tout ce que tu écris et apporte de l'éclat même à ton livre de maths avec des couvertures recouvertes de paillettes !

Pour faire une couverture de livre,
il te suffit de suivre ces instructions simples.

1. Plie une feuille de papier autour du livre ou cahier fermé, et presse tout autour des bords pour faire une marque bien visible.
2. Enlève le livre et ouvre le papier bien à plat. Tu devrais avoir une marque en creux de la forme du livre ouvert. Avec une règle, fais une trace à 2 po /5 cm de la bordure tout autour de la pliure et coupe le papier le long de cette marque.
3. Plie le haut du papier le long de la pliure du haut, et fais la même chose pour la pliure du bas.
4. Plie les côtés droit et gauche le long de la marque.
5. À présent, décore cette couverture puis glisse ton livre dedans.

Ce qui est bien avec ces couvertures, c'est que quand tu en as assez, il te suffit d'en créer une autre et de remplacer l'ancienne. Ainsi, tu peux toute l'année montrer ta créativité !

26

La mousse amusante

La mousse d'artisanat est une matière vraiment amusante, avec laquelle on peut faire un tas de choses créatives. Une fois que ton projet est réalisé, vérifie que tu as des tubes de colle sous la main pour ajouter une touche supplémentaire. Que ce soit pour ta propre couronne de princesse, de super bracelets ou une libellule extraordinaire, tu peux être assurée d'avoir un vrai succès avec les projets des pages suivantes.

Des morceaux de mousse embellissent tous tes projets de papier... n'oublie pas d'ajouter ta colle!

27

Magnifiques bracelets

Ces extraordinaires bracelets sont l'accessoire parfait pour toute diva de la mode. Fais-en un pour chacune de tes copines pour quand vous passez une journée ensemble!

Instructions:
1. Utilise le modèle A à droite pour découper la base du bracelet sur une feuille de mousse. Cela donnera un bracelet de 7 po (18 cm) une fois sur ton poignet. Tu peux le faire plus long ou plus court, mais assures-toi de couper les encoches à chaque bout, comme montré, pour le fermer correctement
2. Utilise le modèle B, C ou D pour couper une bande de designer au milieu de ton bracelet, et colle-la en place avec de la colle d'artisanat. C'est facultatif, tu peux aussi couper un morceau de ruban, de tissu ou un dessin que tu auras fait avec la colle brillante.
3. Ajoute la touche spéciale à ton bracelet en y mettant du brillant, des pierres ou tout autre ornement scintillant, et portes ton bracelet avec style!

B

C

D

A

Louis la libellule

Cette amusante petite créature adore se promener dans ton jardin, se percher sur un pot de fleur ou même sur le mur de la chambre! Elle aimerait vraiment avoir quelques amis pour lui tenir compagnie, alors fais-en plusieurs!

Instructions.

1. Colorie un bâton d'artisanat avec un marqueur ou de la peinture pour faire son corps puis laisse sécher.

2. Trace les deux patrons à droite sur du papier kraft et coupe-les. Ce sont tes modèles. Trace l'un des deux modèles par libellule sur une feuille de mousse, puis découpe.

3. Colle la grande aile sur le bâton, à environ un pouce du haut. Colle la petite aile juste dessous et laisse sécher.

4. Pour faire l'antenne, coupe une longueur de 4 po (10 cm) de ruban chenille (qui a une tige en métal souple), plie-le en forme de V et fais boucler les bouts. Colle l'antenne à l'arrière de la tête.

5. Enveloppe le reste de chenille autour du corps où il rejoint les ailes et mets un peu de colle à l'arrière pour le tenir en place.

6. Décore ta libellule en ajoutant des yeux sur la tête, en les dessinant, puis une bouche et des lignes sur le corps. Enfin, fais des dessins spectaculaires sur les ailes pour que Louis la libellule miroite au soleil!

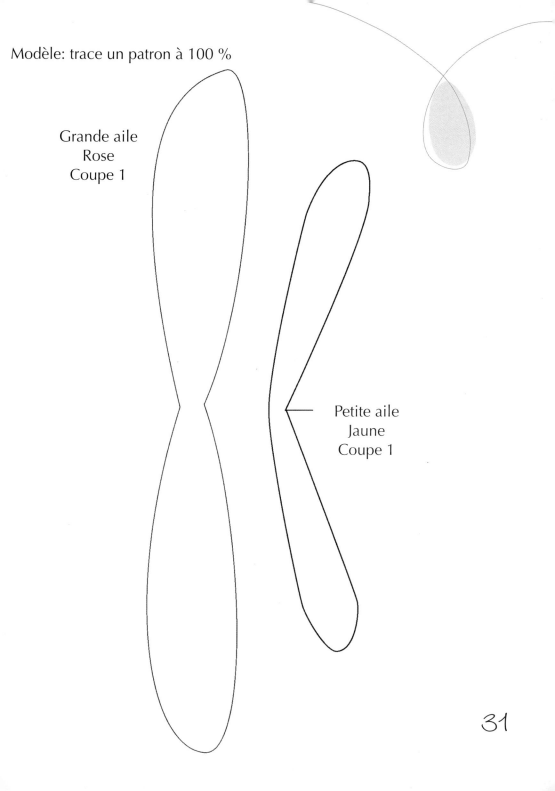

Modèle: trace un patron à 100 %

Grande aile
Rose
Coupe 1

Petite aile
Jaune
Coupe 1

31

Princesse d'un jour, princesse toujours

Chaque princesse doit avoir une couronne! Elles sont si amusantes et faciles
faire que nous recommandons d'en avoir une pour chaque vêtement royal.

Instructions.
1. Photocopie ou trace le patron A et le B sur deux pièces de papier et coupe
les pour créer ton propre modèle. Si tu veux une couronne plus grande,
demande à un adulte de t'aider à les agrandir sur une photocopieuse.
2. Fais le tracé de chaque patron sur un papier mousse et découpe-le.
3. Colle la forme la plus petite sur la pièce de base plus grande et laisse-les
sécher.
4. Une fois sèches, utilise la colle brillante pour décorer ta couronne afin
qu'elle honore la princesse que tu es! Utilise des pierres, des autocollants, d
plumes, des pompons, toutes les décorations amusantes et scintillantes que
as.
5. Enfin, perce un trou comme c'est montré sur le modèle, dans chaque ang
de la base. Coupe 2 longues pièces de ruban et en les passant dans les trous
tu en fais un nœud, en laissant un bout du nœud plus court et l'autre pas m
plus long. Maintenant, tu peux mettre la couronne sur ta tête et couper la
pièce la plus longue pour que cela t'aille au mieux.

Modèle: trace un patron à 100 %

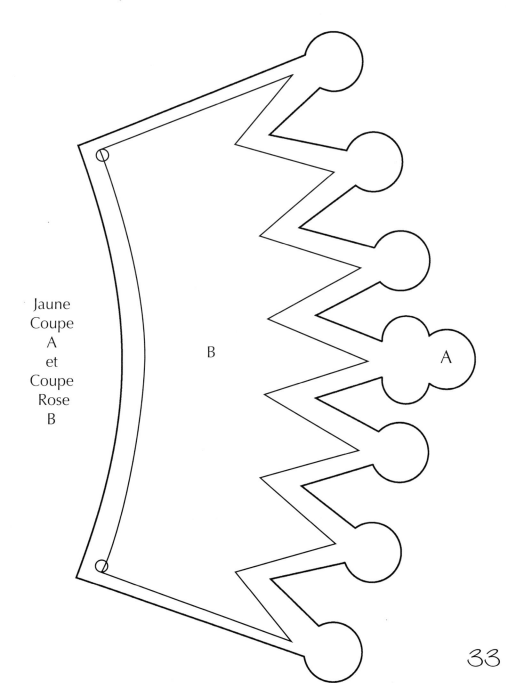

Jaune
Coupe
A
et
Coupe
Rose
B

B

A

33

Affichettes de porte

Voilà enfin un projet très amusant à faire. Il n'attend qu'une touche de brillant. Les affichettes de porte sont un excellent moyen de personnaliser l'entrée de ton domaine, de tenir à l'écart la famille non désirée ou pour faire savoir que tu es là!

Tu peux, soit couper tes propres formes sur des feuilles de mousse, soit en acheter déjà faites dans une boutique d'artisanat ou un magasin à un dollar. Voici quelques idées de ce que tu peux inscrire sur ton affichette.

Éloignez-vous – Zone de danger
La Diva est LÀ
Du calme!
Palace de la princesse «inscrits ton nom»
Souriez!
Pour les filles seulement
Chut… la belle dort

Pense à d'autres façons créatives de t'exprimer!!

34

Ajoute de la colle brillante à des rubans!

Des rubans brillants

Ajoute de la colle brillante à un morceau de ruban en satin pour créer un accessoire à cheveux joli et original. Ou bien mets du brillant sur un ruban pour en envelopper un cadeau. Mets un ruban brillant autour de ton poignet, cela te distinguera des autres. Il y a plein de façons d'utiliser rubans et brillant, il suffit d'un peu d'imagination !

36

Finalement, encore d'autres idées brillantes

Pas encore prête à mettre de côté ta colle? Regarde autour de toi, dans ta chambre, la salle de bain, le garage, la cour… tu as trouvé des idées!

Voici une liste des autres choses que tu peux décorer avec tes colles brillantes.

Barrettes et bandeaux à chevelure
Boîtes à crayons et sac à maquillage
Miroirs, porte-clés
Serviettes de table et tasses en papier
Tourniquets et cerfs-volants
Pots de fleurs et pierres fétiches
Pages d'album de découpage
Albums d'autographes
Journal intime et lettres d'amour
Combien d'autres idées peux-tu avoir?

Combien d'autres idées as-tu?

En ajoutant une simple goutte de brillant, tu as coupé des pinces à cheveux–libellule qui sont brillantes.

Quoi dire sur tes cartes

Voici quelques messages simples que tu peux vouloir utiliser sur les cartes que tu fais

Fêtes

Meilleurs vœux pour une merveilleuse fête.

C'est ton jour spécial.

Amusons-nous!

Que tous tes vœux se réalisent.

Amies

Amies pour toujours

Si les amies étaient des fleurs,

c'est toi que je cueillerais.

Général

Rétablis-toi vite.

Merci pour être toujours là.

Je pense à toi.